No Coração da
Mãe Aparecida

ORAÇÕES DE UM POVO DE FÉ

PE. FLÁVIO SOBREIRO

No Coração da
Mãe Aparecida

ORAÇÕES DE UM POVO DE FÉ

EDITORA
SANTUÁRIO

Direção Editorial:	Pe. Fábio Evaristo R. Silva, C.Ss.R.
Coordenação Editorial:	Ana Lúcia de Castro Leite
Revisão:	Cristina Nunes
Diagramação e Capa:	Tiago Mariano da Conceição
Fotos:	Fabio Colombini

Dados Internacionais de Catalogação na Publicação (CIP)
(Câmara Brasileira do Livro, SP, Brasil)

Sobreiro, Flávio
 No coração da Mãe Aparecida: orações de um povo de fé/ Flávio Sobreiro. – Aparecida, SP: Editora Santuário, 2017.

 ISBN 978-85-369-0482-5

 1. Espiritualidade 2. Nossa Senhora Aparecida - Devoção 3. Orações I.Título.

17-01689   CDD-232.91

Índices para catálogo sistemático:
1. Nossa Senhora Aparecida: Devoção: Cristianismo 232.91

2ª impressão

Todos os direitos reservados à **EDITORA SANTUÁRIO** – 2022

Rua Pe. Claro Monteiro, 342 – 12570-000 – Aparecida-SP
Tel.: 12 3104-2000 – Televendas: 0800 - 0 16 00 04
www.editorasantuario.com.br
vendas@editorasantuario.com.br

INTRODUÇÃO

Era o ano de 1717... O governador de Minas Gerais e São Paulo iria passar por aquela região e três pescadores, João, Filipe e Domingos, foram encarregados de pescar tudo quanto podiam para servir no banquete a ser oferecido ao ilustre visitante.

Depois de inúmeras tentativas sem nenhum resultado, os pescadores chegaram ao Porto de Itaguaçu, localizado no Rio Paraíba do Sul; e João, lançando novamente as redes ao rio, eis que recolheu o corpo sem a cabeça de uma imagem de Nossa Senhora da Conceição. Lançando novamente a rede, ela retornou, dessa vez, com a cabeça da imagem, que se ajustava perfeitamente ao corpo. Após o ocorrido, os pescadores recolheram tantos peixes que ficaram com medo do barco afundar.

Filipe levou a imagem para sua casa e colocou-a em um oratório, onde permaneceu por quinze anos. A vizinhança começou a juntar-se para a reza do terço e outras devoções. Iniciou-se assim a devoção à imagem de Nossa Senhora da Conceição Aparecida.

Essa devoção teve seus inícios no meio de pessoas simples e humildes, no meio dos pobres. Na simplicidade da oração do Terço, a fé foi sendo confirmada e a devoção ultrapassando as fronteiras daquele vilarejo.

Maria, em sua simplicidade e pobreza, aparece nas águas do Rio Paraíba, para recordar-nos a nossa missão de batizados. Fomos mergulhados nas águas do Espírito Santo para uma vida nova como filhos e filhas de Deus. O batismo nos inseriu na comunidade dos seguidores de seu filho Jesus Cristo.

Primeiro as redes trazem o corpo e depois a cabeça da imagem de Nossa Senhora da Conceição. Formamos um único corpo na comunidade cristã e Cristo é a cabeça. Não podemos caminhar sem a cabeça que é Cristo a nos guiar. Maria aparece, para recordar-nos a missão de sermos Igreja e unidos em Cristo.

Diante da pequena imagem, o povo se sente amparado pela simplicidade da Mãe Celeste. Não há medo, mas sim amor filial. A oração une a comunidade e faz crescer a fé. Maria une seus filhos e filhas na oração que sobe ao Pai com os louvores e as súplicas. E ela intercede por seus filhos diante das dificuldades e mazelas da vida.

Sem conseguir pescar nada, aqueles pobres homens já começam a ser vencidos pelo desânimo. Maria chega e, com sua proteção maternal, apresenta por suas mãos ao seu filho Jesus a súplica daqueles homens. Diante da intercessão da Mãe, o milagre da multiplicação acontece. Cristo ouve sua Mãe, que por nós intercede sem cessar.

Na simplicidade da imagem de apenas 40 cm, o povo via a cada dia sua fé aumentar. Maria a cada dia aproximava, por sua humildade e pobreza, mais pessoas de Cristo. Encontrada em um período da história em que a escravidão oprimia as pessoas em solo brasileiro, nessa época, um escravo de nome Zacarias, o qual encontrava-se preso por grossas correntes, pediu ao feitor permissão para rezar na Igreja, onde se encontrava a imagem de Nossa Senhora da Conceição Aparecida.

Zacarias recebeu autorização e, colocando-se de joelhos diante da imagem, rezou fervorosamente, e as correntes milagrosamente soltaram-se de seus pulsos. Maria é aquela que deseja ver todos os seus filhos libertos de todas as amarras que os impedem de terem uma vida digna. E, diante dos sofrimentos que escravizam o ser humano, Maria intercede ao seu filho Jesus pela libertação de todos.

Nossa Senhora da Conceição Aparecida é para todos Mãe intercessora, que nos direciona no seguimento de seu amado filho Jesus Cristo.

Este livro é fruto do amor à Virgem Santíssima, e traz orações inspiradas na fé e na confiante intercessão de nossa Mãe Amada. No coração da Mãe Aparecida, todas as súplicas, louvores e agradecimentos encontram um lugar especial. Que esta obra aumente ainda mais sua devoção à Mãe de Deus e nossa e sua confiança nela. Afinal, todos somos filhos de Aparecida e em seu coração encontramos constante proteção.

Nossa Senhora Aparecida, rogai por nós!

O autor

O ESPÍRITO E A ESPOSA DIZEM: AMÉM
VEM SENHOR JESUS

MÃE DOS DESANIMADOS

Senhora Aparecida, Mães dos Aflitos,
Rainha do Amor e da Misericórdia,
que foste aconchego de paz ao menino Deus,
sê para mim também fonte de refúgio,
nas dores e angústias desta vida.
Caminhar é preciso,
mas, por vezes, minhas forças se enfraquecem
e, sentado à beira do caminho,
penso que não mais conseguirei seguir adiante.
Mãe da Esperança,
que a muitos socorrestes com tua maternal proteção,
ouve estes meus lamentos,
e junto do teu amado filho,
nosso Senhor Jesus Cristo,
apresenta o meu cansaço e desânimo,
para que tendo as forças renovadas
pelo Santo Espírito de Deus
eu recomece a caminhar
iluminado pela proteção do teu amor.
Amém!

MÃE DOS ENFERMOS

Mãe dos Enfermos,
Senhora de Aparecida,
Rainha e Padroeira do nosso Brasil,
elevo meu olhar a tua misericórdia,
para que estejas comigo neste momento de dor e medo.
A enfermidade chegou a minha vida
e, hoje, encontro-me abatido e desanimado.
As manhãs perderam sua beleza
e sinto muitas vezes que a noite da tristeza
não abandonará jamais a minha alma.
Senhora da Paz,
olha com bondade para este teu filho
que, desanimado e abatido,
busca refúgio em tua maternal proteção.
Mãe Aparecida,
confio na tua poderosa intercessão.
Ampara-me no sofrimento,
socorre-me na dor,
e, por Cristo Jesus, ilumina
meu caminho com a paz das tardes serenas,
para que meu coração
obtenha a tranquilidade necessária
para superar com fé e esperança
este vale de lágrimas.
Amém!

MÃE DOS DEPRIMIDOS

São tantas as trevas em minha alma,
as estações do medo me impedem
de alcançar a primavera de uma vida nova.
Perdido encontro-me
na confusão dos meus pensamentos.
Senhora de Aparecida,
vem em meu auxílio,
pois confio em tua maternal intercessão.
Nos caminhos da tristeza,
meus passos percorrem vales tenebrosos.
Confesso que tenho vontade de reerguer-me,
mas sozinho não tenho conseguido.
Junto ao teu filho amado
e meu Senhor Jesus Cristo,
confio em alcançar a graça
de ver o alvorecer de um novo tempo
de paz e harmonia.
No grito suplicante de minha alma
atende este pobre filho
que deseja ver germinar
as flores de uma vida nova.
Amém!

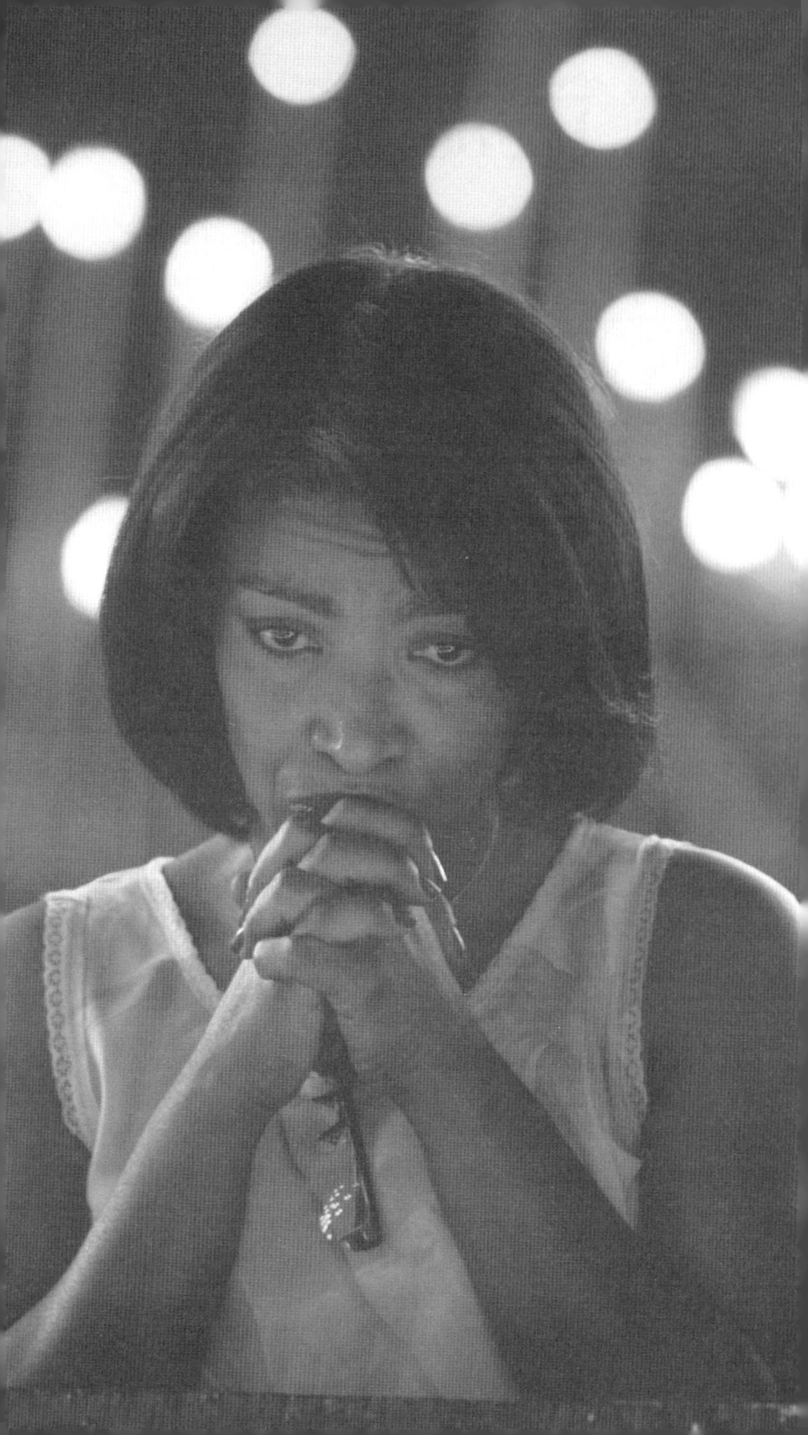

MÃE DOS HUMILDES

Faz da minha pequenez o caminho
para alcançar a grandeza que habita cada coração,
dos meus medos a força necessária para alcançar a vitória,
dos meus fracassos uma escada para chegar ao topo,
do cansaço um novo ânimo para sempre recomeçar.
Ajuda-me a derrubar os muros que dividem
e construir pontes que unam as diferenças;
plantar sementes de amor em cada coração
e cuidar dos jardins que cada alma possui;
amar mais do que ser amado,
partilhar meus dons sem medo de empobrecer.
Dá-me um coração sincero que transmita a paz,
um sorriso sereno que devolva a alegria,
palavras que curem as almas feridas,
e um coração que seja para todos morada do amor.
Amém!

MÃE DOS PECADORES

Minha alma está triste,
pois o pecado corrompeu meu coração.
Querida Mãe da Conceição Aparecida,
Mãe dos pecadores,
auxilia-me no caminho da santidade.
Teu amor é para mim
esperança de uma vida nova.
Ensina-me a fazer o bem,
mesmo quando o mal insiste em derrubar-me
no pecado e nas trevas.
Confesso meus erros,
mas seguindo teu exemplo de doação total
à vontade do Pai,
desejo, hoje, renovar minha vida
no amor do Cristo Jesus.
Intercede pela minha conversão!
De minha parte, comprometo-me
a buscar na confissão sacramental
o perdão dos erros passados
e a graça de uma vida nova.
Amém!

MÃE DOS DESEMPREGADOS

Mãe dos Trabalhadores,
Senhora do Amor,
que nunca desampara os teus filhos e filhas,
venho, com o coração angustiado,
buscar socorro em teu infinito amor.
Sei do valor do trabalho,
e que ele dignifica o ser humano.
O Pão da Eucaristia é alimento para minha alma,
mas também necessito do pão de cada dia.
Roga por mim, Mãe de Deus,
para que encontre um trabalho digno e honesto.
Caminhar é preciso,
mas sozinho me perco.
Por tua poderosa intercessão,
confio que a graça de um emprego
me alcançará.
Mãe da Paz,
reconforta meu coração
na certeza de tua misericórdia infinita.
Amém!

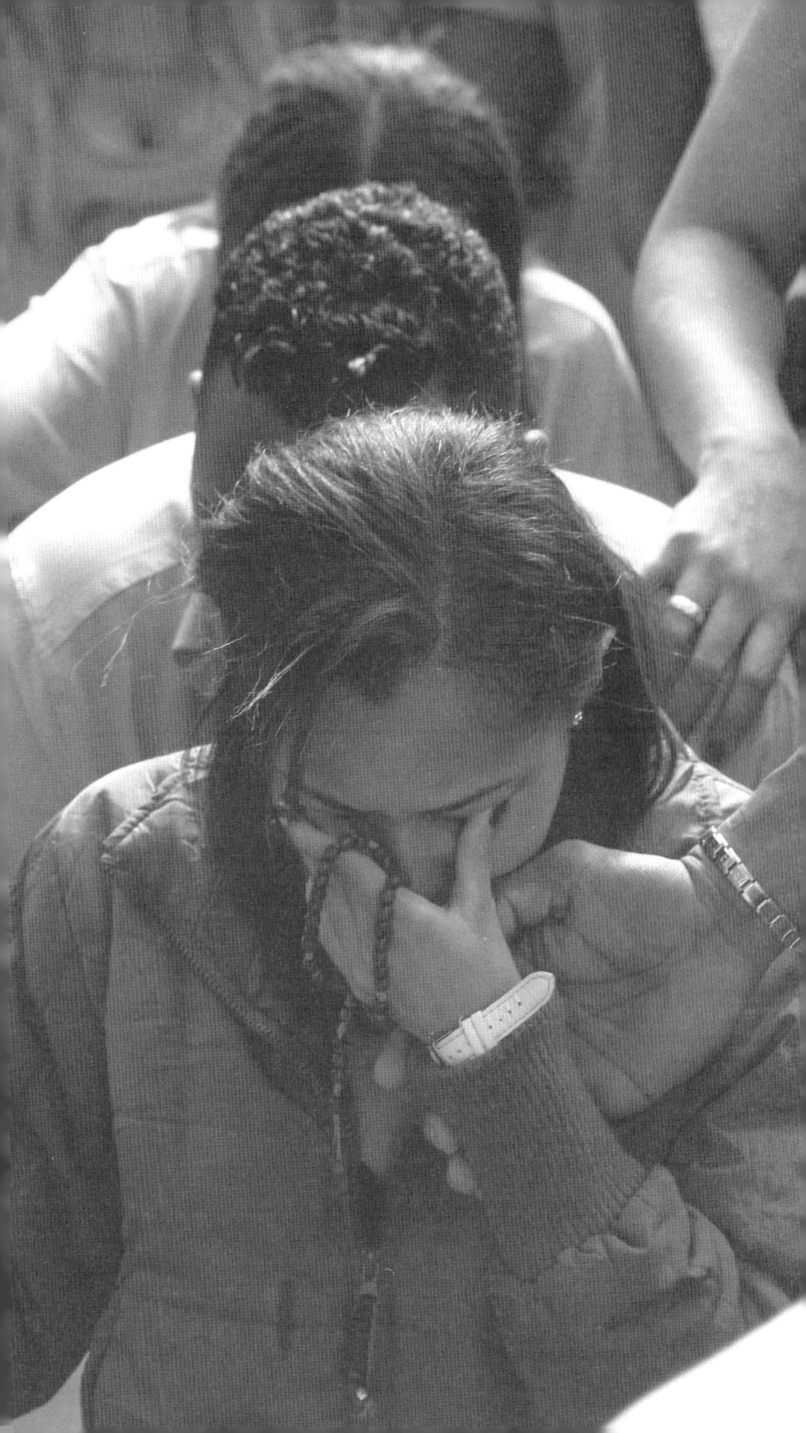

MÃE DOS POBRES

Grande é a multidão
de homens e mulheres
que não têm o necessário para a sobrevivência,
que vivem embaixo dos viadutos das pequenas e grandes cidades
que morrem nas filas dos hospitais
sem atendimento necessário.
Mãe dos pobres,
Senhora da Caridade,
que nunca abandona aqueles que sofrem;
olha por nossa gente,
por este povo sofrido
que tem o seu sangue derramado
pela desigualdade social
e má distribuição de renda.
Senhora Aparecida,
olha pelos pobres
que banham o dinheiro sujo
daqueles que se enriquecem à custa da vida
daqueles que continuam morrendo todos os dias
pelo descaso e pela exploração!
Amém!

MÃE DOS DESABRIGADOS

Senhora de Nazaré,
Rainha e Padroeira do Brasil,
Mãe dos que vivem desabrigados,
acolhe com amor nossa humilde oração,
que ecoa do coração daqueles
que vivem em busca da vida em plenitude.
Senhora da Misericórdia,
muitos são os teus filhos e filhas
que dia e noite clamam pela dignidade roubada.
Sobrevivem sob o relento da chuva, do frio, do vento,
do sol e das noites sem fim.
Sem dignidade humana
não há vida plena.
Intercede junto a Jesus,
teu amado Filho e nosso Senhor,
pela procissão dos desabrigados
que clamam por moradia digna.
Cobre com teu manto de amor
aqueles que buscam em tua misericórdia
a esperança para dias melhores!
Amém!

MÃE DOS REFUGIADOS

Senhora peregrina,
Virgem Santa do Amor,
acompanha nossos passos,
do teu povo sofredor!
Mãe Aparecida,
que a muitos socorre,
ensina-nos o caminho,
para que vida plena possamos ter.
São tantos os perigos,
e as maldades deste mundo,
os homens invertem valores,
atrocidades cometem sem-fim,
ampara-nos e socorre-nos
em meios às trevas sem luz.
Caminhante sem destino,
somos nós o povo teu,
Virgem amada,
Senhora dos Refugiados,
ampara-nos no amor de Deus.
Amém!

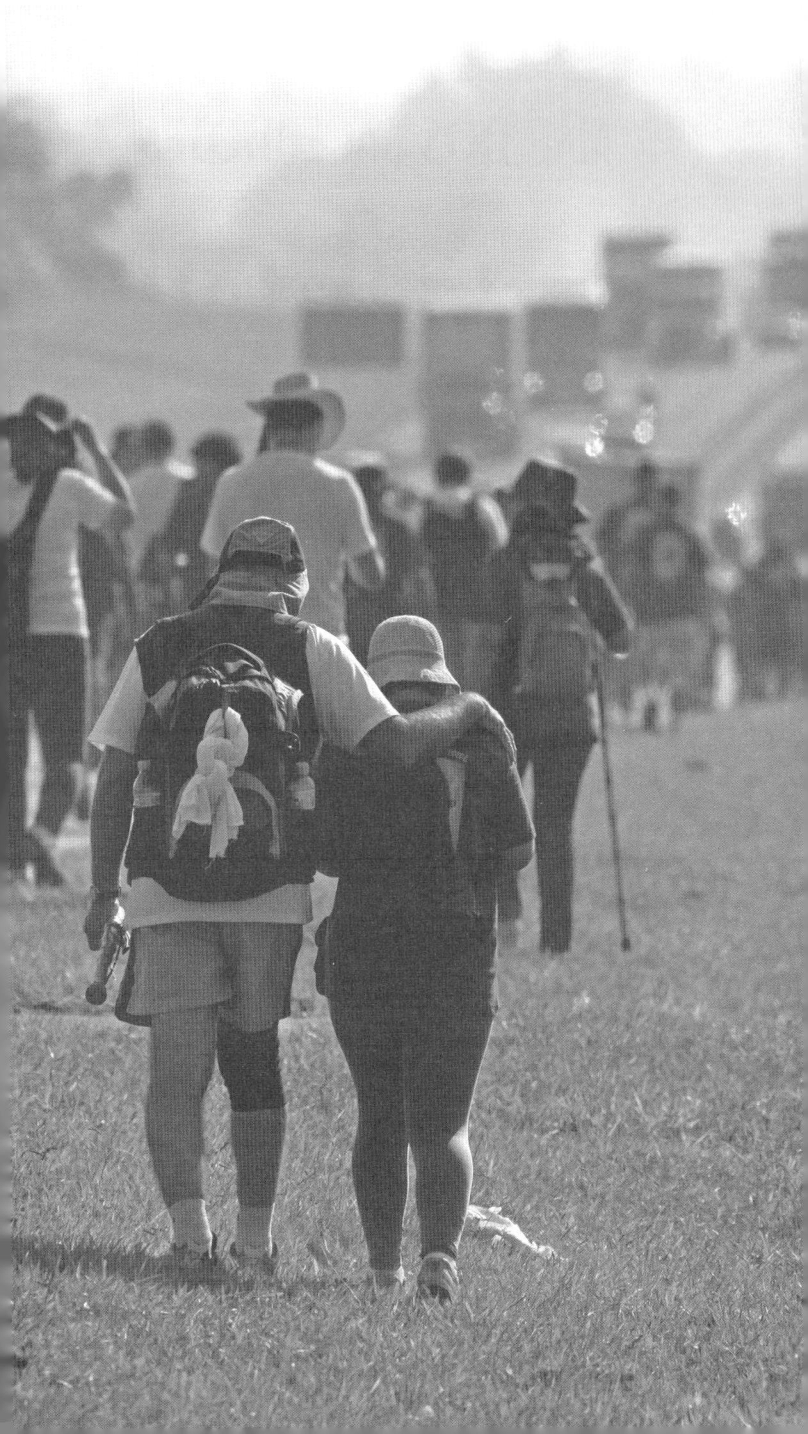

MÃE DOS SACERDOTES

Rainha dos Sacerdotes,
a ti confiamos nossa missão,
para que sob teu manto
encontremos proteção!
Somos teus filhos amados,
que por amor nos entregamos
a Jesus teu amado Filho,
que é nossa redenção e luz.
Orienta-nos com teu amor
para que nosso ministério
seja fecundo e floresça
no coração de cada fiel.
Pequenos somos,
diante de tão grande amor,
mas em nossa pobreza
acolhe nossos dons.
Aos teus pés, Senhora de Aparecida,
ofertamos nossa vocação
para que hoje e sempre
sigamos com fidelidade
nossa consagração.
Amém!

MÃE DOS ARREPENDIDOS

Em tuas mãos deposito meu coração arrependido,
e desejo em teu amor maternal
restaurá-lo para um tempo novo.
O pecado tomou conta de meu seu,
e sem pensar nas consequências dos erros
me perdi em caminhos
que outrora pareciam corretos.
Mas hoje,
contemplando tua face de amor,
fui tocado pela graça do arrependimento.
Não posso continuar nos caminhos tenebrosos
mas necessito recomeçar no amor de Cristo.
Acolhe, Mãe Aparecida,
este filho que traz uma alma ferida
dos erros e ilusões,
que a vida maquiou de falsas promessas.
Contigo quero caminhar
e por tuas santas mãos chegar
ao Sagrado Coração
do teu amado Filho Jesus Cristo.
Amém!

MÃE DOS ENLUTADOS

Querida Mãe dos Enlutados,
hoje as lágrimas brotam
das dores da saudade.
Minha alma se encontra rasgada pela dor
de quem amei e despediu-se desta vida.
Meus dias transformaram-se
em tristes noites sem fim.
O alvorecer da esperança
parece se despedir a cada segundo
em que a saudade se faz memória.
Mãe Aparecida,
que tantas lágrimas já banharam
estes santos pés,
vem em meu auxílio,
e por sua poderosa intercessão,
concede-me a graça
de compreender
que a despedida não é eterna
para quem acredita na força da ressurreição.
Senhora da Paz,
acolhe esta dor
em tuas santas mãos de amor,
e acalma minha alma
que derrama o sangue
de não saber dizer adeus.
Amém!

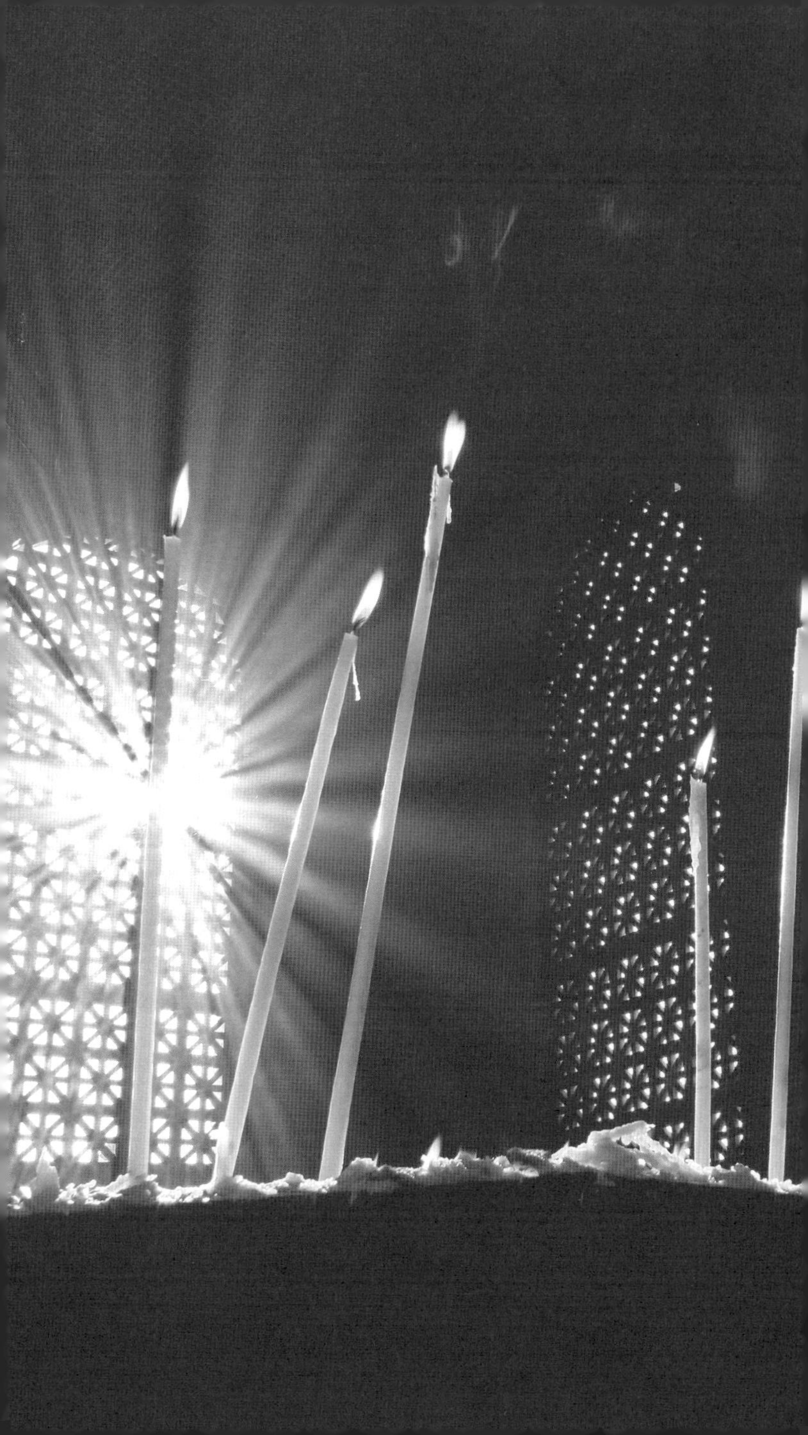

MÃE DE TODAS AS MÃES

Senhora de Aparecida,
Mãe do Divino Amor,
que cuidastes do Menino Deus
com a ternura das manhãs de paz,
olha por todas as mães:
sofredoras e desesperadas,
enfermas e aflitas,
angustiadas e deprimidas.
Derrama sobre todas
as mais copiosas bênçãos de teu amor celestial.
Acompanha-as na dor e na alegria,
nos medos e nas angústias.
Cubra-as com teu santo manto da ternura
e concede a todas
a força necessária para transformar suas lágrimas
em dias de paz e alegria sem fim.
Mãe de todas as mães,
acolhe em teu amor
as almas das mães que já se despediram
desta jornada terrestre,
para que, junto de ti,
contemplem o rosto misericordioso
do Pai Celeste.
Amém!

MÃE DE TODOS OS PAIS

Virgem Prudentíssima,
Senhora de Aparecida,
acolhe hoje em teu amor maternal e misericordioso
todos os pais,
que sofrem e choram
por seus filhos e família.
Junto a São José,
seu castíssimo esposo,
intercede para que todos os pais,
sejam para seus filhos e esposa
testemunhas da misericórdia
que brota e floresce
em seus gestos concretos de amor.
Mãe de todos os pais,
olha com caridade
pelos pais idosos
que se encontram abandonados
por seus filhos.
Vela com ternura sobre
os que se encontram enfermos.
Acompanha os que agonizam
na última hora de vida.
Amém!

MÃE DAS FAMÍLIAS

Querida Mãe Aparecida,
que por tantas famílias já rogas,
hoje peço por minha família,
meus pais, irmãos,
avós, tios, primos,
e todos os parentes
que estão ligados a mim,
pelos laços do amor.
Também suplico por aqueles
de temperamento difícil
e que as vezes criam confusões
e desavenças.
Senhora das Famílias,
ilumina-nos com a luz de tua bondade.
Que teu sublime exemplo de dedicação
à Sagrada Família de Nazaré
inspire-me a ser melhor a cada dia,
e fazer do meu lar
um lugar de paz e amor,
onde a misericórdia divina
seja ponto de unidade
entre todos aqueles que comigo
trilham este caminho da vida.
Amém!

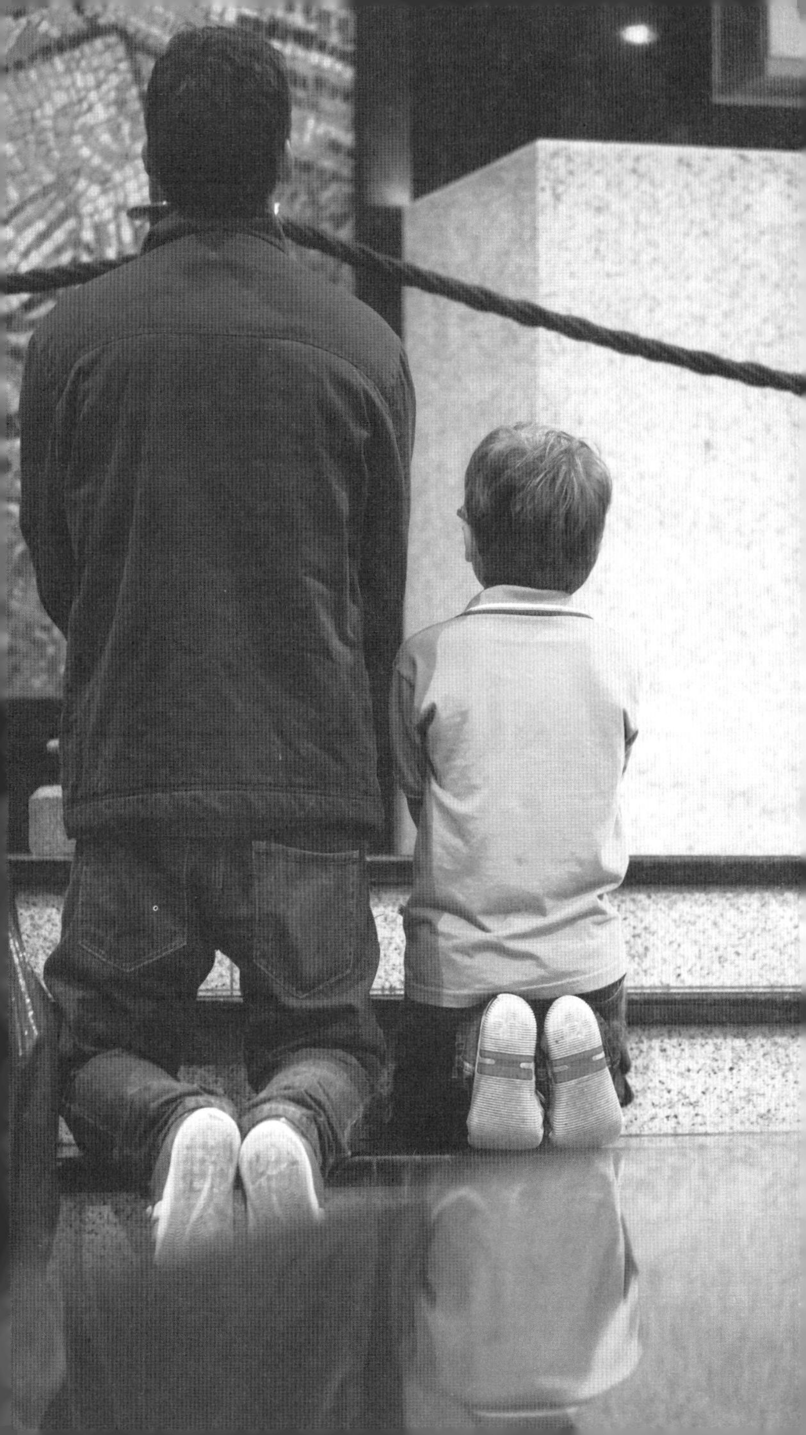

MÃE DA LIBERDADE

Senhora da Liberdade,
Mãe dos Escravizados,
são tantas as correntes que me aprisionam,
que por vezes sinto-me refém
das maldades do mundo,
mas também daquelas
que eu mesmo criei para mim.
Dá-me tua mão poderosa
Senhora de Aparecida,
ajuda-me a quebrar as correntes
do pecado e da maldade
que me prendem
e por vezes me sufocam.
Assim como libertaste
o escravo Zacarias
da tirania da escravidão,
quebra os grilhões do mal
que me roubam a liberdade
de viver uma vida plena da presença
do teu amado Filho Jesus Cristo.
Quero ser livre
para anunciar para todos
a graça de ser renovado no amor de Deus.
Amém!

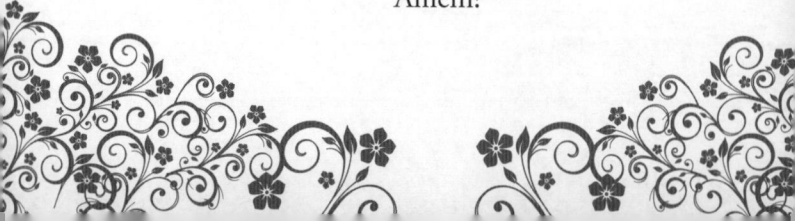

MÃE DOS ANSIOSOS

Rainha e Mãe de todos aqueles
que vivem ansiosos
e perdem-se por caminhos tortuosos,
venho hoje pedir-te a graça
de ser uma pessoa serena.
Muitas vezes me perco
nas tempestades
que eu mesmo acabo criando para mim.
Ajuda-me a olhar a vida com mais leveza
e perceber a beleza da serenidade.
Por tua maternal intercessão,
ajuda-me a compreender
o tempo de Deus em minha vida.
Ampara-me nos momentos de ansiedade
para que eu saiba calar antes de falar,
e que minhas palavras sejam tão suaves
como a suave brisa numa tarde de verão.
Mãe dos Ansiosos,
concede-me a graça
de descobrir, na agitação dos dias,
o tempo necessário para estar contigo
e com Jesus, meu Salvador e Rei.
Amém!

MÃE DOS ESTRESSADOS

Mãe de todos os povos,
Senhora e Rainha do Brasil,
venho humildemente
suplicar tua intercessão
para que eu aprenda a ser tolerante
com meus irmãos e irmãs.
Meu jeito de ser prepotente
tem afastado de mim
aqueles que mais amo.
Confesso que para mim
também não é fácil
conviver comigo mesmo.
Mas, com tua graça e maternal ajuda,
quero recomeçar.
Ajuda-me a compreender que as pessoas
não podem sempre fazer as minhas vontades,
mas nem por isso deixam de me amar.
Concede-me a serenidade necessária
para que, nos momentos de raiva,
eu saiba silenciar meu coração
e minhas palavras, que ofendem e ferem
aqueles que mais amo.
Por tua graça, novo serei
em Cristo Jesus.
Amém!

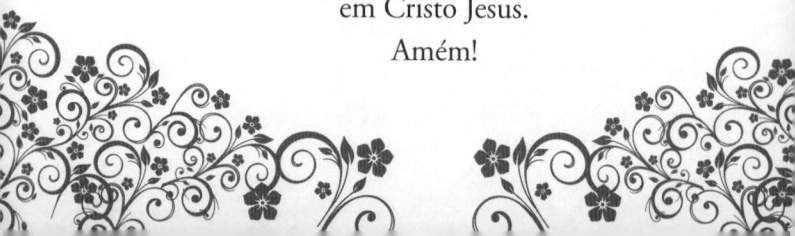

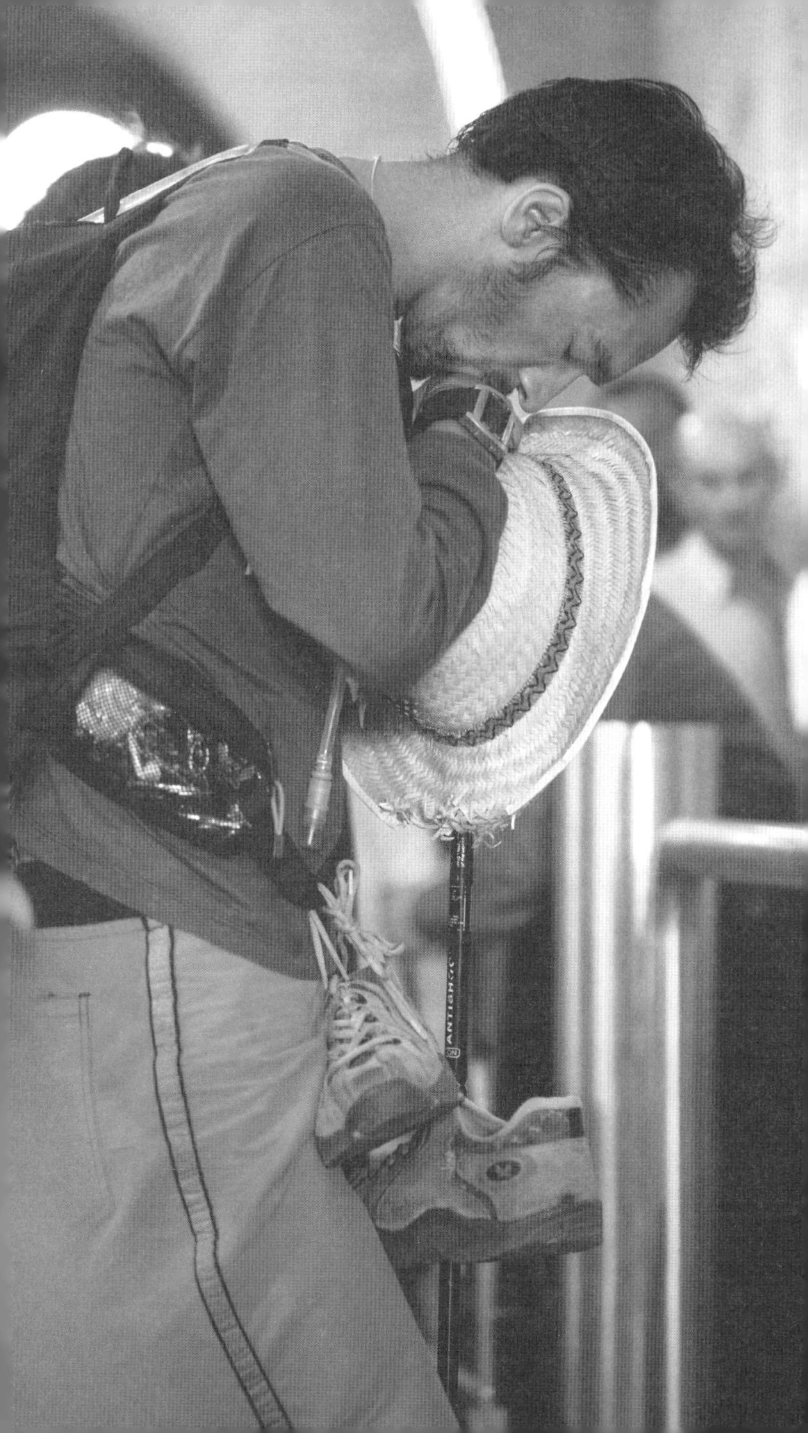

MÃE DO RESPEITO

Querida Senhora de Aparecida,
que com maternal proteção
sempre acolhe com amor e respeito
todos os teus filhos e filhas.
Mãe Divina da Misericórdia,
que teu olhar de ternura
acolha-me em tua graça.
Auxilia-me a ser misericordioso com todos,
mesmo não concordando com os pecados que comentem.
Olha, com especial caridade,
por aqueles que governam nosso país,
para que respeitem os direitos
dos mais pobres e abandonados.
Cobre com teu manto de amor
os que lutam pela dignidade humana,
respeitando o próximo
e valorizando-o
como filho e filha de Deus.
Mãe do Respeito,
ensina-nos o valor dos pequenos gestos de bondade
que produzem vida em plenitude.
Amém!

MÃE DA BONDADE

Mãe querida,
que a nenhum filho teu desampares,
mas cuides com imenso amor,
e sempre o proteja
com maternal bondade.
Acolhe hoje este coração agradecido,
por ser seu indigno filho,
que por tua misericórdia de Mãe
sempre cobriste
de inúmeras bênçãos e graças.
Mãe da Bondade,
seja sempre nosso sustento espiritual
nas desventuras da vida.
Caminha conosco
pelos vales tenebrosos do medo
e das incompreensões.
Sede, Mãe amada,
caminho seguro
para quem deseja chegar
ao Sagrado Coração
de teu filho Jesus Cristo,
nossa ressurreição e eterno amor.
Amém!

MÃE DO AMOR

Mãe do Divino Amor,
Consoladora dos Aflitos,
Rainha da Misericórdia,
em tuas mãos depositamos nosso coração
chagado e ferido
pelas maldades do mundo.
Tu, que carregaste no ventre
o Amor Vivo e Misericordioso,
concede-nos a graça
de caminhar na verdade
dos ensinamentos de Jesus.
Mãe do Amor,
que cuidaste com tanto carinho de Isabel,
ensina-nos que o verdadeiro amor
traduz-se em gestos concretos
pelos que mais precisam.
Querida Senhora de Aparecida,
que nunca desamparas
a quem suplica tua interseção,
ensina-nos a não sermos indiferentes
àqueles que de nós se aproximam.
Amém!

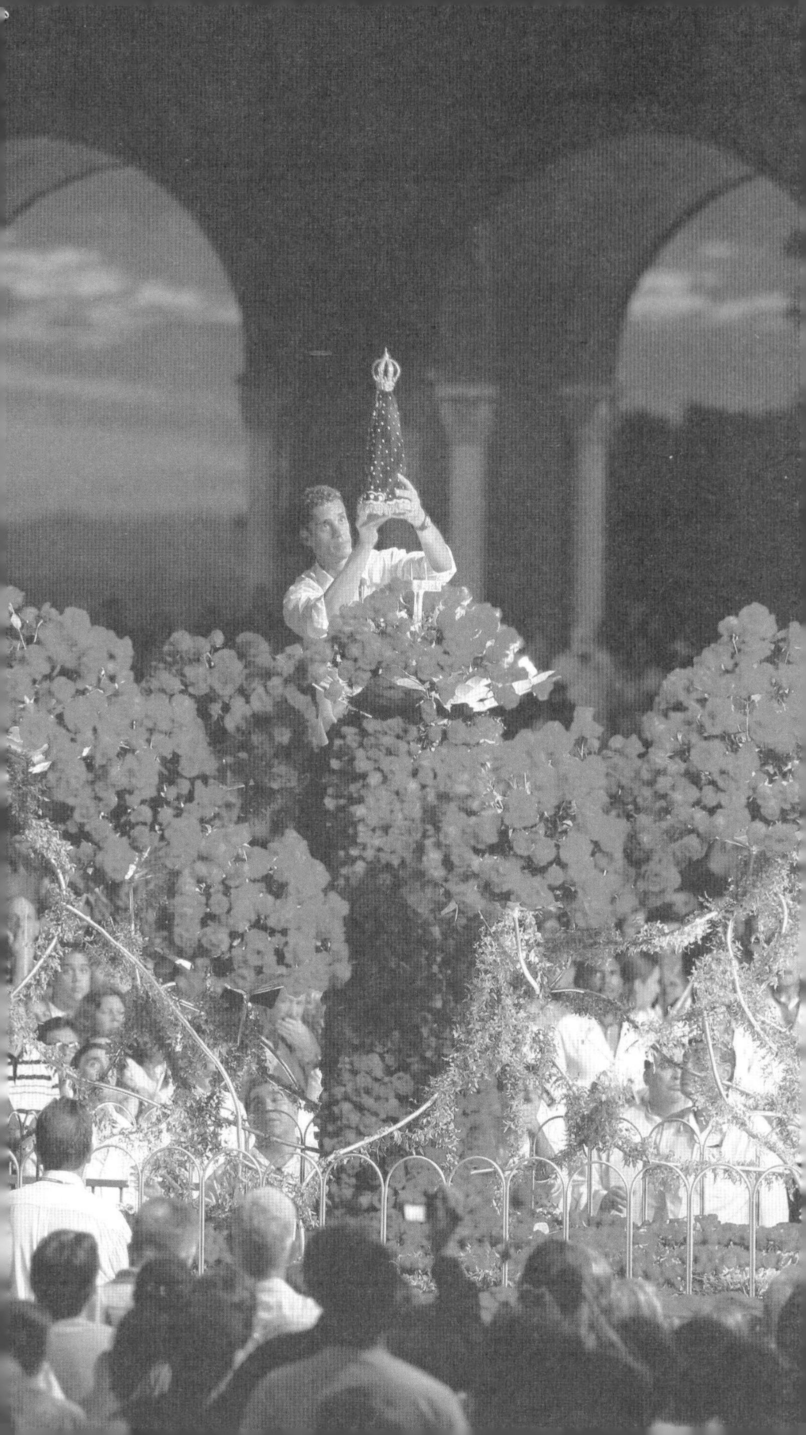

MÃE DA CARIDADE

Rainha do Brasil,
Mãe da Caridade e dos que sofrem,
pela falta do pão material e espiritual,
concede-nos a consciência
de olharmos com mais amor
pelos que gritam de fome de pão e de vida.
São tantos os nossos irmãos,
querida Mãe da Caridade,
que vivem sem o mínimo necessário
para a sobrevivência.
Grande é a multidão que clama
por justiça e dignidade.
Mãe Aparecida,
que eu saiba viver a caridade sem limites ou fronteiras
e que minha família
seja o primeiro lugar
em que eu testemunhe a beleza
de um mundo novo,
edificado na paz e na caridade.
Que meu testemunho silencioso
e anônimo
ajude a antecipar o céu
que sonhamos viver.
Amém!

MÃE DA MISERICÓRDIA

Mãe Misericordiosa,
que em simples gestos de amor
exalaste o perfume da paz,
auxilia-nos,
pelo exemplo de Cristo,
a não nos deixarmos levar pelos rótulos
que nossos irmãos e irmãs carregam;
mas que tenhamos a coragem
de nos aproximar de quem sofre,
para, com nosso amor,
curarmos as feridas
com o bálsamo da ternura
e do acolhimento.
Senhora de Aparecida,
dá-nos coragem
de olhar para os que se encontram
caídos à margem da sociedade.
Concede-nos a caridade
de ajudarmos
os que se perderam nos caminhos das trevas.
Que nossos pequenos gestos de amor
sejam reflexos da misericórdia de tua bondade maternal.
Amém!

MÃE DA ESPERANÇA

No alvorecer de um novo dia,
pedimos, Mãe Aparecida,
que nossos passos
trilhem os caminhos da esperança.
Nas trevas,
ilumina-nos com a divina luz
de teu filho Jesus.
Sustenta-nos nas horas de provação,
aflição e desespero.
Que nossa oração
chegue ao coração de Deus,
como suave odor
de confiança na graça divina.
Em tuas mãos poderosas,
nós nos confiamos,
Mãe da Esperança.
Que brilhe sobre nós
o Sol da Justiça,
para que, iluminados
por tão grande dádiva,
semeemos no hoje de nossa história
as alegrias do amor, que por nós
nunca cansas de oferecer!
Amém!

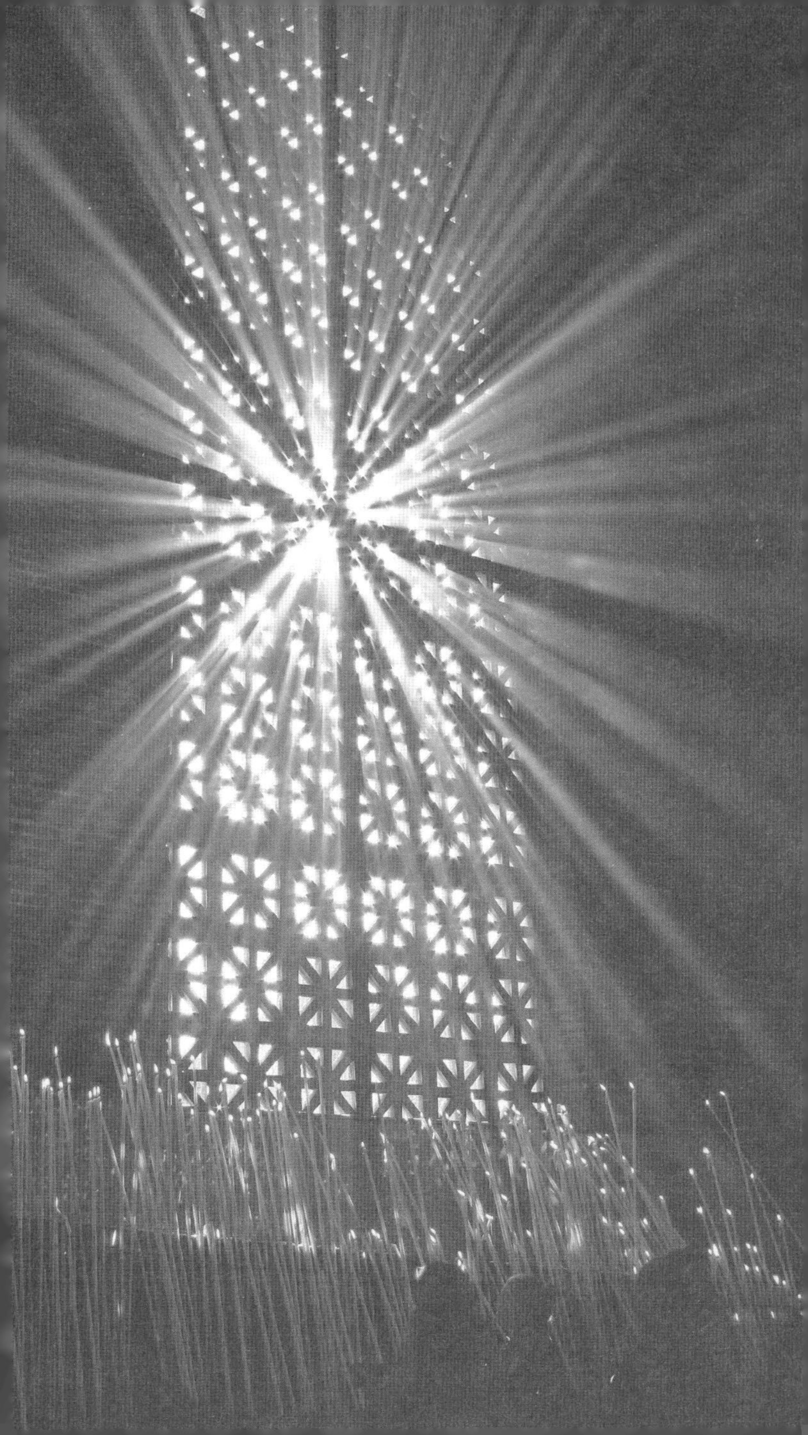

MÃE DOS AMIGOS

Tesouros valiosos são os amigos.
Querida Mãe Aparecida,
amiga dos pobres e sofredores,
dos desesperados e desanimados,
colocamos hoje sob tua misericordiosa proteção
nossos amigos e amigas.
Derrama vossas bênçãos sobre nossos amigos enfermos,
para que encontrem em Cristo Jesus a cura do corpo e da alma.
Olha com ternura
por nossos amigos que se encontram distantes,
para que, auxiliados pelo Espírito santo,
trilhem sempre os caminhos do amor.
Mãe do Amor Divino,
ampara nossos amigos e amigas,
que enfrentam o desespero,
para que em Deus sejam abraçados
pela misericórdia consoladora.
Querida Mãe dos Amigos,
acolhe junto de teu amor
a alma daqueles que amamos
e despediram-se desta vida.
Que, seguindo teu exemplo
de amor filial a Deus,
sejamos para nossos amigos
testemunhas de tua bondade.
Amém!

MÃE DA CONSOLAÇÃO

Muitos são os que choram
as dores da vida.
Santíssima Virgem Maria,
que a todos acolhe com infinito amor,
pedimos-te hoje pelos desesperados,
que peregrinam no vale de lágrimas
da dor e da falta de esperança.
Sê para eles o horizonte do amor,
no qual possam contemplar
os céus novos e a terra nova
da paz e do amor.
Mãe da Consolação,
Rainha e Padroeira do Brasil,
consola, em teu amor,
os que têm fome e sede de justiça,
para que nunca deixem de acreditar
no amor que renova a face da terra
e sempre inaugura um tempo novo
na vida de cada pessoa.
Por tua graça,
mostra-nos o caminho da confiança
em Jesus Cristo, Bom Pastor,
que nos guia às planícies da vida,
na segurança da ternura divina.
Amém!

MÃE DOS DECEPCIONADOS

Quantas lágrimas já derramei
pelos que me ofenderam e magoaram...
Mãe dos Decepcionados,
venho a ti suplicar
pelas feridas de minha alma.
Meu coração
encontra-se como um vaso quebrado.
Sozinho não consigo reconstruir
o que a decepção em mim dilacerou.
Muitos foram os que me magoaram,
feriram e traíram.
Desejo recomeçar
e acreditar que em cada coração
existem sinais do bem.
Sozinho não consigo,
mas com tua graça
um novo tempo
irá despontar nas estações do medo,
que insistem em permanecer
nas páginas de minha história.
Querida Mãe dos Decepcionados,
vem em socorro de minhas limitações e aflições.
Este coração, que hoje chora,
deseja ser renovado por teu amor divino.
Amém!

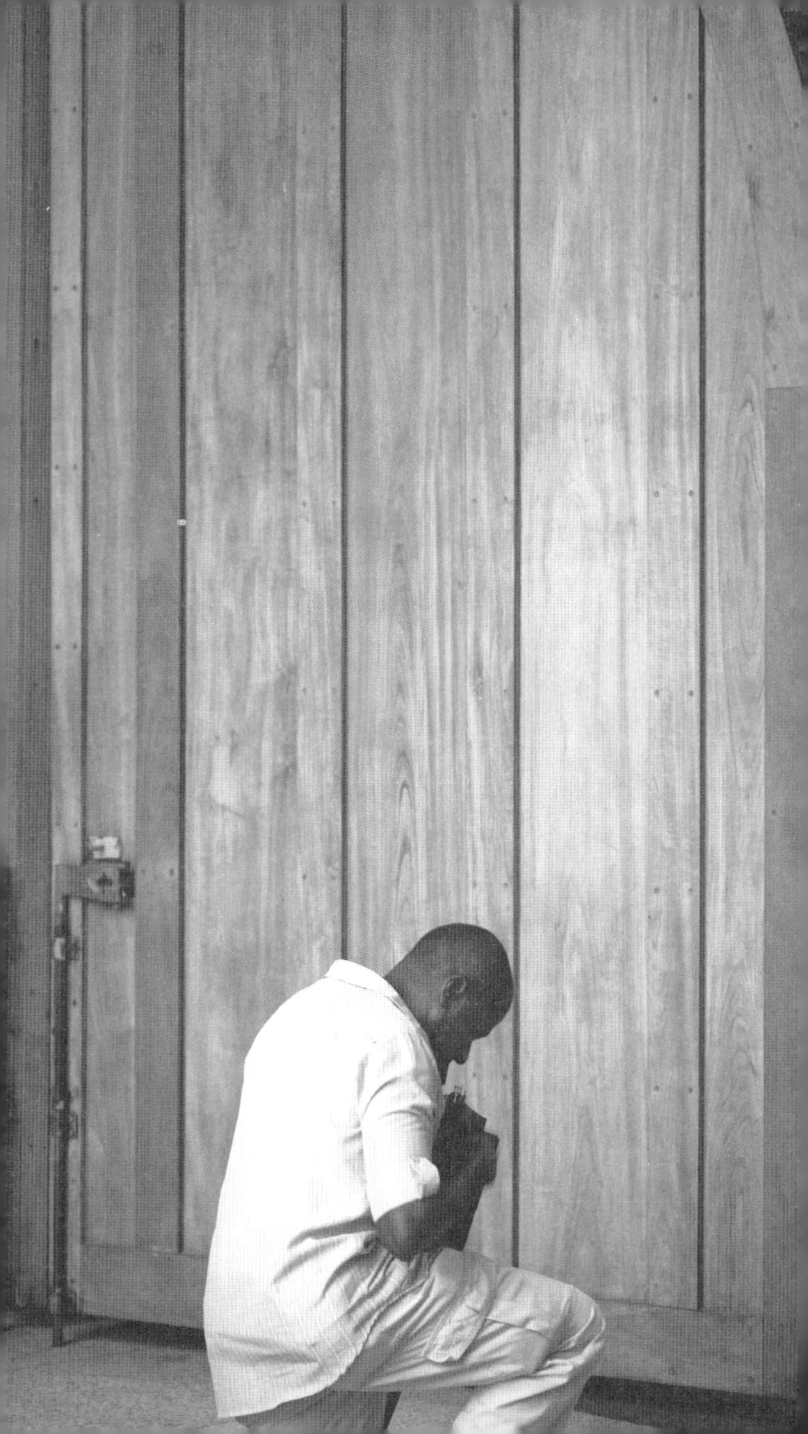

MÃE DO EQUILÍBRIO

Mãe do Equilíbrio,
Senhora da Paz,
em meio às perseguições,
dá-nos o equilíbrio da serenidade.
Nas tempestades da vida,
concede-nos o equilíbrio da fortaleza.
Quando o medo chegar,
dá-nos o equilíbrio da confiança.
Nas enfermidades corporais e espirituais,
concede-nos o equilíbrio da esperança.
Diante da falta de fé,
dá-nos o equilíbrio de crer.
Nas dificuldades familiares,
concede-nos o equilíbrio do cuidado.
Frente aos desanimados,
dá-nos o equilíbrio dos bons conselhos.
Quando o desespero chegar,
concede-nos o equilíbrio da consolação.
Em meios às trevas da maldade,
dá-nos o equilíbrio de iluminarmos.
Nos odres e nas feridas do mundo,
concede-nos o equilíbrio dos gestos de misericórdia.
Amém!

MÃE DOS ESGOTADOS ESPIRITUALMENTE

Senhora Aparecida,
Santíssima Virgem do Amor,
alivia meu cansaço espiritual.
Nem sempre é fácil
cultivar o mesmo ânimo
diante da fé,
que a cada dia precisa ser renovada.
Assim como estiveste
sempre na presença do Pai,
com um coração intimamente unido ao dele,
ajuda-me, pela força da oração,
a superar os momentos fortes
de desânimo e esgotamento espiritual.
Mãe dos Esgotados Espiritualmente,
renova minha fé,
nas fontes do amor de Cristo.
Que a Água Vida do amor Divino
irrigue os jardins ressequidos de minha alma,
para que as sementes da esperança renovada
germinem e desabrochem,
exalando o suave perfume da misericórdia.
Amém!

MÃE DA FELICIDADE

Mãe Aparecida,
Senhora da Felicidade,
que foste agraciada por Deus
para ser a Mãe do Salvador.
Louvamos-te por tão grande graça,
o ventre que gerou Jesus por amor
o acolheu antes no coração com louvor.
Em meio a tantas tristezas
que nos oprimem
e nos roubam a alegria de dias melhores,
pedimos-te a graça
de ver além das aparências
e contemplar a beleza, que por vezes se esconde
em cada coração.
Iluminados por tua maternal bondade,
possamos redescobrir a primavera da felicidade
nos pequenos gestos anônimos,
que fazem com que nossa sociedade
seja sinal do Reino
de teu amado filho Jesus.
Mãe da Felicidade,
que teu sereno sorriso imprima em nossa alma
as alegrias de sermos
teus filhos amados.
Amém!

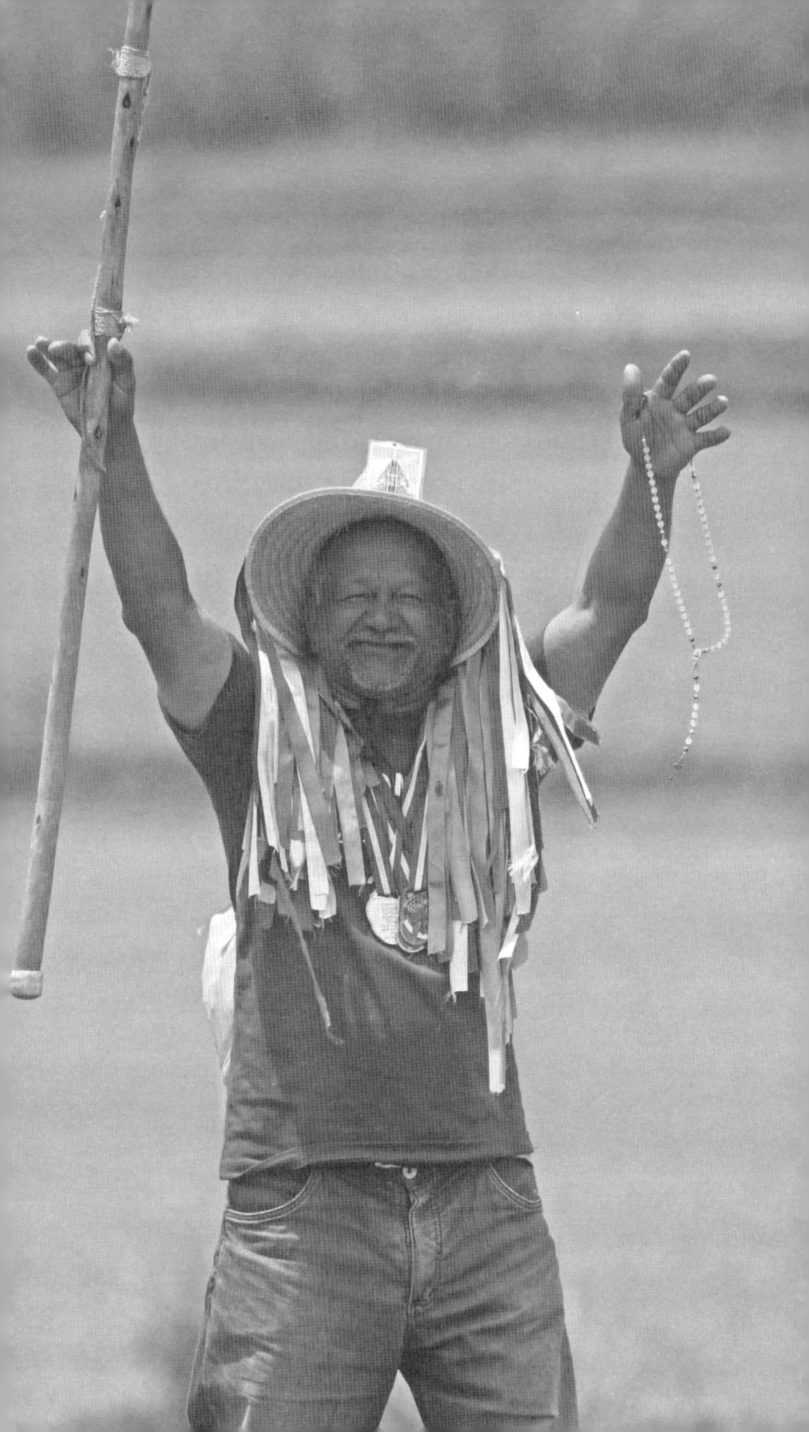

MÃE DOS FRACASSADOS

Senhora da Confiança,
Mãe dos Fracassados,
que sempre olha com benevolência
para os que se encontram caídos,
às margens dos caminhos da vida.
Dá-nos um coração de bom samaritano,
para levantarmos àqueles
que se encontram caídos e desanimados,
pelos inúmeros fracassos da vida.
Que nossos gestos de misericórdia
e de bondade
sejam conforto espiritual
diante de tantos desafios e fracassos na vida.
Querida Mãe Aparecida,
por tua intercessão junto a Cristo,
dá-nos força para superarmos
qualquer fracasso
e, nos momentos de crise,
encontrarmos soluções eficazes para recomeçar
e assim testemunharmos
o amor de Cristo,
que nos faz novos em seu amor.
Amém!

MÃE DA PAZ

Em meio a tantas guerras,
conflitos e perseguições,
cobre com teu manto de amor
o coração de todos os homens.
Que pela prática do amor,
respeitem a dignidade humana,
e construam pontes de diálogo e amor.
Afasta o desejo de poder
daqueles que governam e exploram
os mais desfavorecidos e pobres.
Intercede, junto a Jesus,
para que a paz seja semente
a germinar nos pequenos gestos
de amor e misericórdia.
Mãe da Paz, Senhora do Brasil e do mundo,
vem em socorro daqueles que padecem a dor
de verem seus lares e cidades destruídos
pela tirania da maldade.
Que a humanidade aprenda com Cristo
a ser jardineira do amor,
cuidando da criação como obra-prima
de um mundo que se renova
na paz, que deixa de ser sonho
e faz-se realidade em pequenos gestos
que transformam a realidade em oásis de paz!
Amém!

MÃE DA IGREJA

Mãe Aparecida,
Senhora da Igreja,
que sejamos pedras vivas do amor divino.
Seja nosso testemunho
fruto daquilo que celebramos.
Que a força da Eucaristia
ensine-nos o dom de partilhar
a vida e o amor com todos.
Que nosso batismo
nos anime a sermos autênticos seguidores de Jesus.
Que nossa confirmação na fé
nos dê a maturidade necessária
para sermos fiéis ao que professamos com os lábios.
Mãe da Igreja,
ensina-nos a fazer de cada comunidade
um espaço de acolhida,
onde reconheçamos o Cristo vivo em cada irmão e irmã.
Estimula-nos a viver unidos,
firmes na oração,
colocando em comum os dons que recebemos.
Na força do Espírito Santo,
queremos caminhar contigo,
na maternidade do amor,
que nos faz crescer em Cristo
para uma vida nova!
Amém!

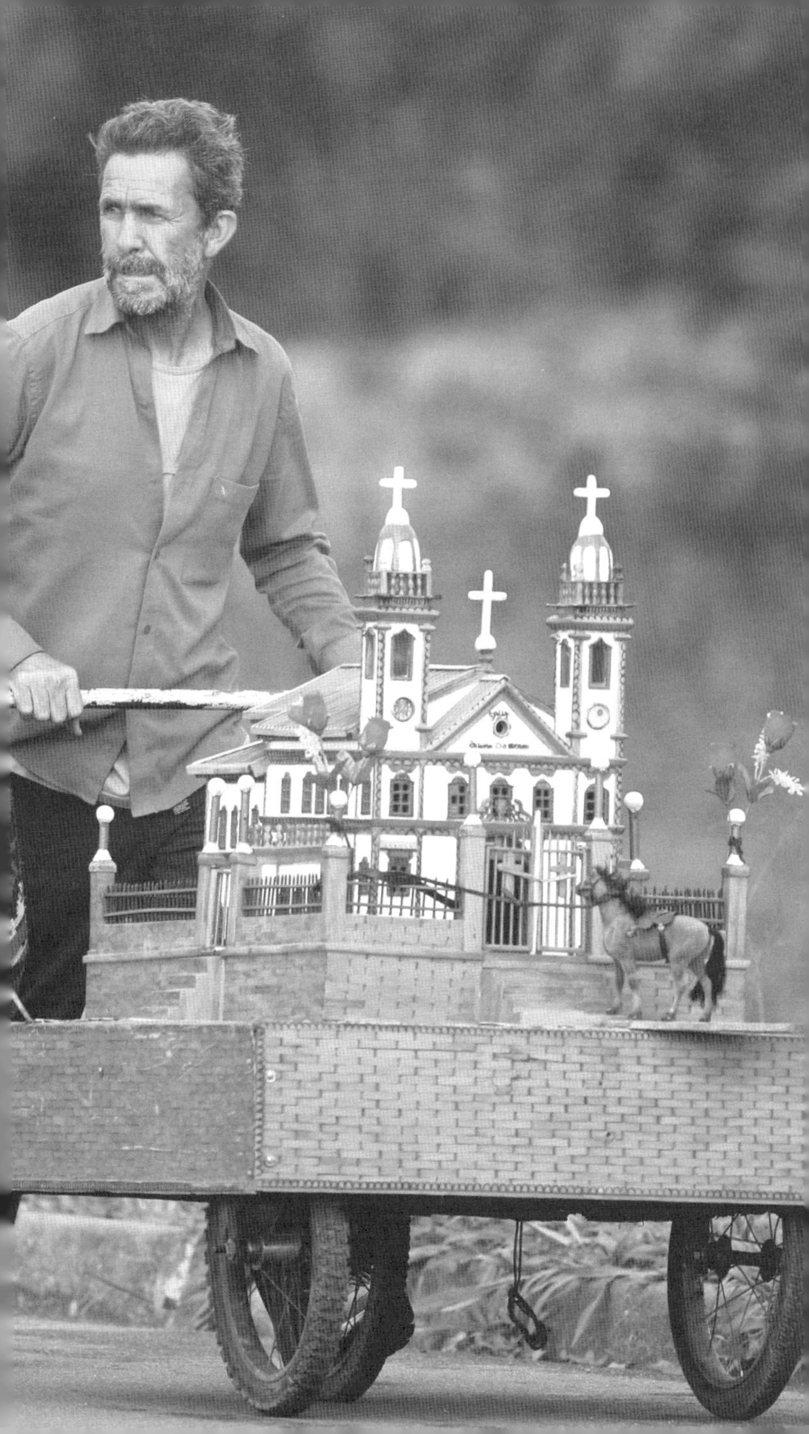

MÃE DA LUZ

Nas trevas: ilumina-nos!
Nos perigos: guia-nos!
Nas tristezas: consola-nos!
Nas guerras: defende-nos!
No medo: guia-nos!
Nas preocupações: sê nosso consolo!
Na ansiedade: ensina-nos a paciência!
No combate: fortalece-nos!
Nos tumultos: ajuda-nos a silenciar!
Na agonia: estejas ao nosso lado!
Na confusão: sê nossa solução!
No luto: conforta-nos!
Na dor: cura-nos!
Nos sofrimentos: alivia-nos!
Na crise: ajuda-nos a crescer!
Na provação: mostra-nos a esperança!
Nos obstáculos: ajuda-nos a vencer!
Amém!

MÃE DO DISCERNIMENTO

Diante das dúvidas,
acompanha-me, doce Virgem Maria,
com a graça de discernir a vontade de Deus
para minha vida.
Assim como tiveste o discernimento espiritual,
diante do Arcanjo Gabriel,
que lhe anunciava a Boa Notícia
de que seria a Mãe do Salvador,
intercede por mim junto a Jesus,
para que, diante das decisões,
eu sempre as coloque antes nas mãos de Deus.
Que eu aprenda a refletir antes de falar
e orar antes de decidir.
Mãe do Discernimento,
auxilia-me a caminhar pela vida
com a serenidade das decisões
que promovam o bem comum
e a felicidade do próximo.
Amém!

MÃE DOS REJEITADOS

Senhora da Acolhida,
Mãe querida de Aparecida,
tenho em minha alma as marcas da rejeição.
Nas feridas que ainda sangram em meu coração,
deposito a teus pés minha dores emocionais.
Cada dia o passado volta,
e a amargura de não sentir-me amado
aprisiona-me na tristeza
que está enraizada na minha alma.
Querida Mãezinha,
acolhe em teu amor tantas feridas
e traumas que o tempo não cicatrizou,
e, junto a Jesus,
olha por este teu pobre filho.
Que vivendo em Cristo
eu seja uma nova pessoa,
liberta de tudo aquilo que me aprisiona
e tem me impedido de viver em paz.
Que o amanhecer da esperança
reacenda em minha vida
a luz de um novo tempo,
em que a paz
seja semente germinada,
em meio às ervas daninhas da rejeição.
Amém!

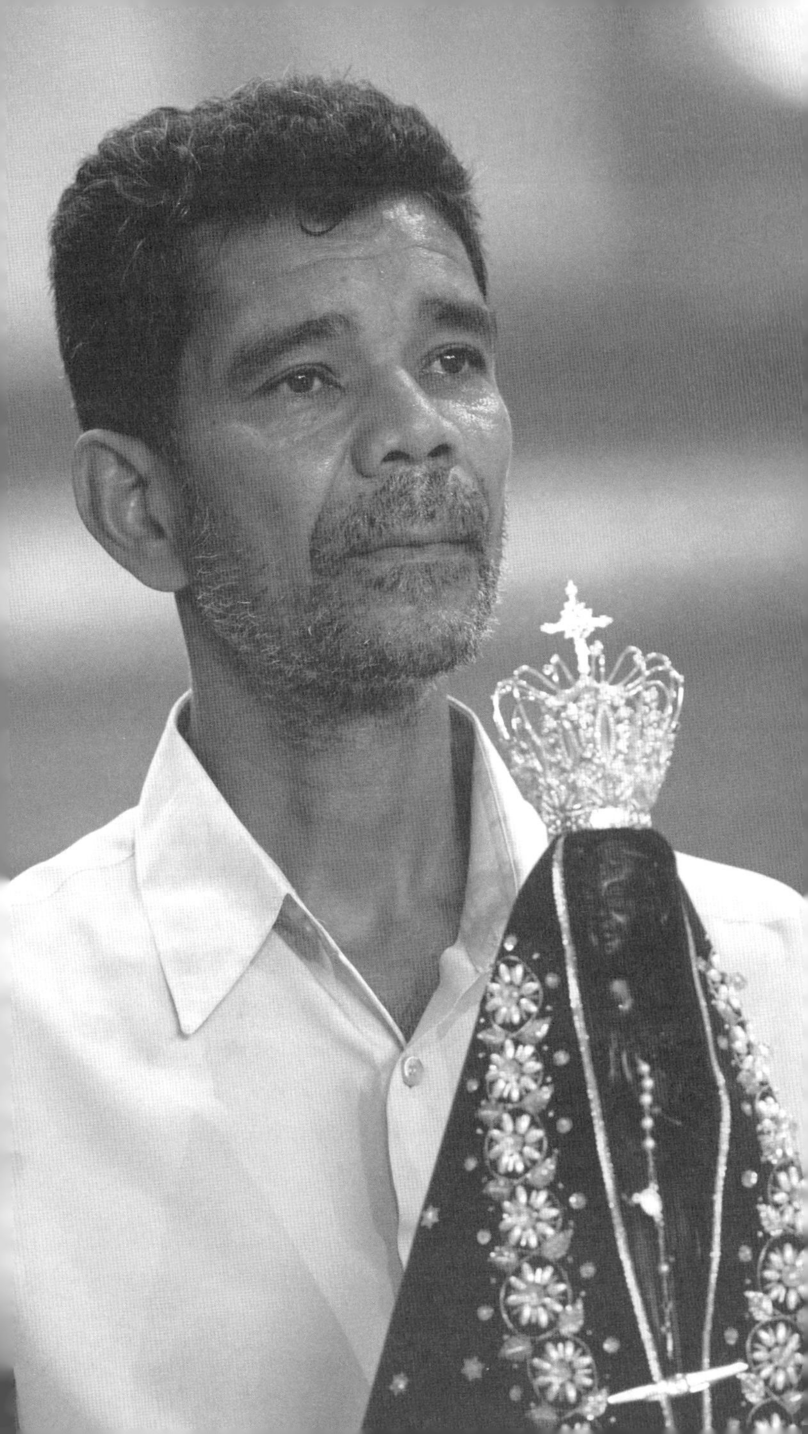

MÃE DOS ROMEIROS

Nossa Senhora da Conceição Aparecida,
Rainha e Padroeira do Brasil,
Mãe dos Romeiros,
que peregrinam na fé e no amor,
para estarem ao teu lado.
Na pequenina imagem
nos reveste de humildade
para que sejamos no mundo reflexo
do amor de teu Filho.
De Norte a Sul,
de Leste a Oeste,
somos teus filhos amados,
que de longas ou pequenas distâncias
percorrem o caminho da fé,
trilhando as fronteiras das dificuldades,
para sob teu manto de misericórdia
encontrar refúgio e proteção.
Mãe querida,
olha por nós, roga por nós,
para que, seguindo os exemplos de Cristo,
sejamos hoje e sempre
fiéis aos caminhos do amor.
Amém!

MÃE DA GENTILEZA

Ensina, Mãe querida,
o valor da gentileza,
principalmente com aqueles que
mais necessitam de nosso auxílio.
Mãe da Gentileza,
que nossos gestos e atitudes
reflitam os ensinamentos de Jesus Cristo,
que sempre esteve ao lado dos pecadores e sofredores.
Ensina-nos o dom de ajudar a todos
e não medir esforços
para que a misericórdia
seja um sinal permanente
de nossa entrega a seu divino amor.
Mãe Aparecida,
que sempre acolhes
com maternal doçura
todos os que de ti se aproximam,
livra-nos da prepotência e do orgulho,
para que todos os que de nós
se aproximarem
sintam-se amados e valorizados
em sua dignidade humana e espiritual.
Amém!

MÃE DOS MAGOADOS

Com a alma entristecida e magoada,
rogo a ti, Mãe de Deus e nossa,
que por tua infinita bondade
me concedas a graça em Cristo
de libertar-me das mágoas
que me ferem o coração
e têm me impedido de viver em paz.
Das mágoas de meus pais:
liberta-me, Mãe Aparecida!
Das mágoas de meus amigos:
liberta-me, Mãe Aparecida!
Das mágoas dos que me ofenderam:
liberta-me, Mãe Aparecida!
Das mágoas dos meus colegas de trabalho:
liberta-me, Mãe Aparecida!
Das mágoas da Igreja:
liberta-me, Mãe Aparecida!
Das mágoas de meus familiares:
liberta-me, Mãe Aparecida!
Das mágoas dos que morreram:
liberta-me, Mãe Aparecida!
Amém!

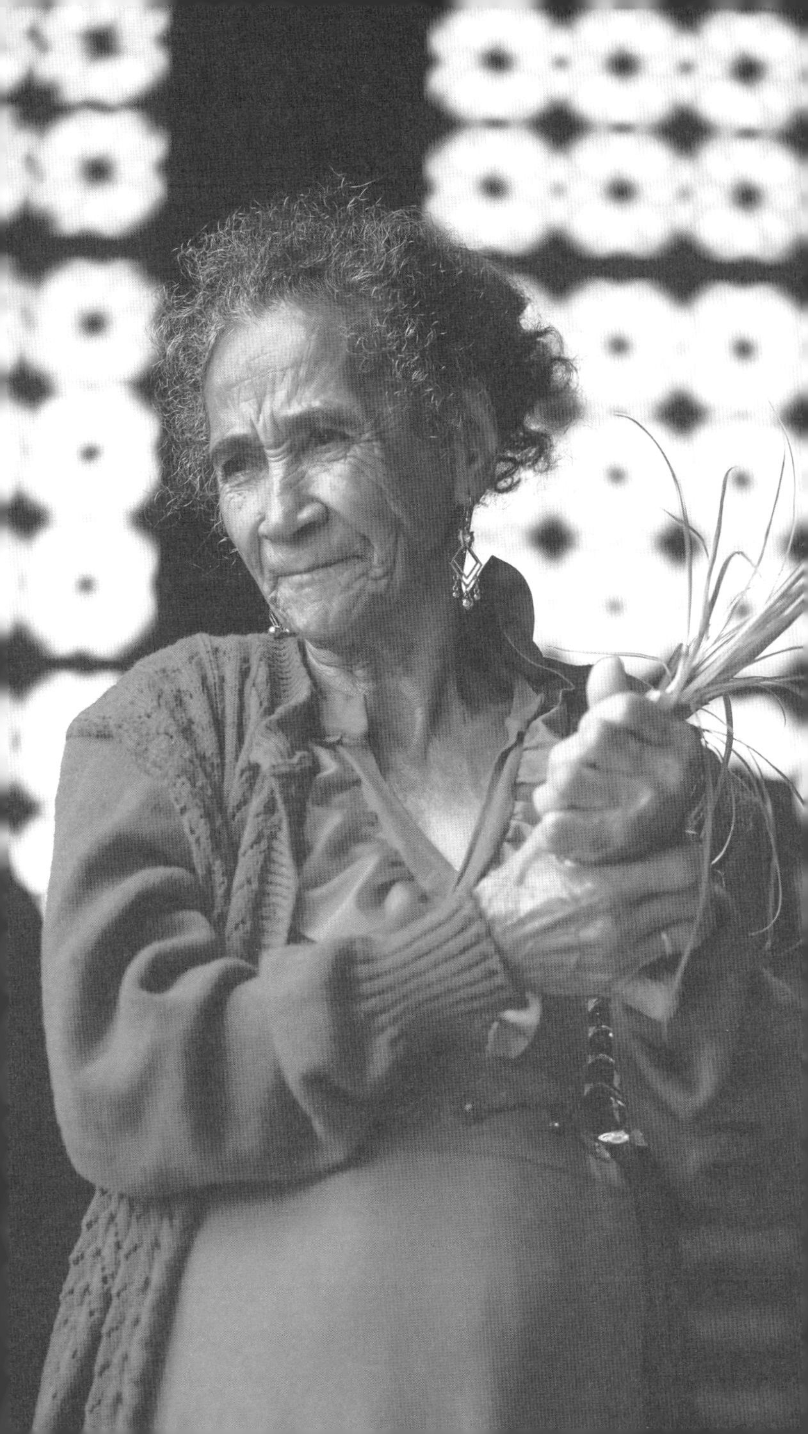

MÃE DOS OBEDIENTES

Virgem Maria,
obediente aos desígnios do Pai,
ajuda-nos a sermos fiéis
ao chamado que de Deus recebemos.
Gloriosa Mãe da Obediência,
que o nosso sim
seja exemplo de misericórdia
para com os que vivem abandonados, excluídos.
Que os filhos sejam obedientes aos pais,
para que toda família seja reflexo
da Sagrada Família de Nazaré.
Concede-me, Mãe Aparecida,
a graça de ser fiel aos ensinamentos de Jesus,
e que mesmo na provação
a certeza de minha fidelidade
seja maior que as seduções
que tentam ofuscar a beleza
de ser filho amado de Deus.
Querida Mãe dos Obedientes,
conduz-me sempre na paz
e na unidade com todos,
para que assim o Reino dos Céus
antecipe, pelos pequenos gestos dos que creem,
a humanidade nova em Cristo.
Amém!

MÃE DO OTIMISMO

Frente ao desânimo,
revigora minha fé na esperança.
Em meios aos problemas,
ajuda-me a encontrar a melhor solução
para resolver os conflitos com sabedoria.
Nos momentos de tristeza,
consola-me com a esperança
de um novo tempo
gerado no amor de Deus.
No meio das tempestades da vida,
dá-me a serenidade necessária
para superar com calma e tranquilidade
os desafios e as lutas diárias.
No luto pela perda de um ente querido,
conforta-me com a certeza da Ressurreição
em Cristo Nosso Senhor!
Mediante os conflitos,
auxilia-me com o discernimento
para que não ofenda o próximo,
mas resolva cada situação
segundo a vontade de Deus!
Amém!

MÃE DA PACIÊNCIA

Mãe Aparecida,
Senhora da Paciência,
ensina-me por teu exemplo, humilde e sereno,
a cultivar a paciência necessária
para a paz de minha alma.
Que, seguindo os passos de Jesus,
eu aprenda a orar, antes de decidir alguma coisa.
Intercede junto ao Cristo,
para que eu saiba cultivar o jardim de meus dias,
respeitando o tempo de Deus.
Que eu aprenda
que as pessoas não são minhas escravas
e que, antes da minha vontade,
vem a vontade de Deus.
Dá-me a sabedoria necessária
para não agredir com palavras
que ferem e machucam,
criando feridas na alma
e consequências na vida.
Mãezinha querida,
olha por mim
e, nos momentos de minha ira,
cobre-me com teu manto da paz.
Amém!

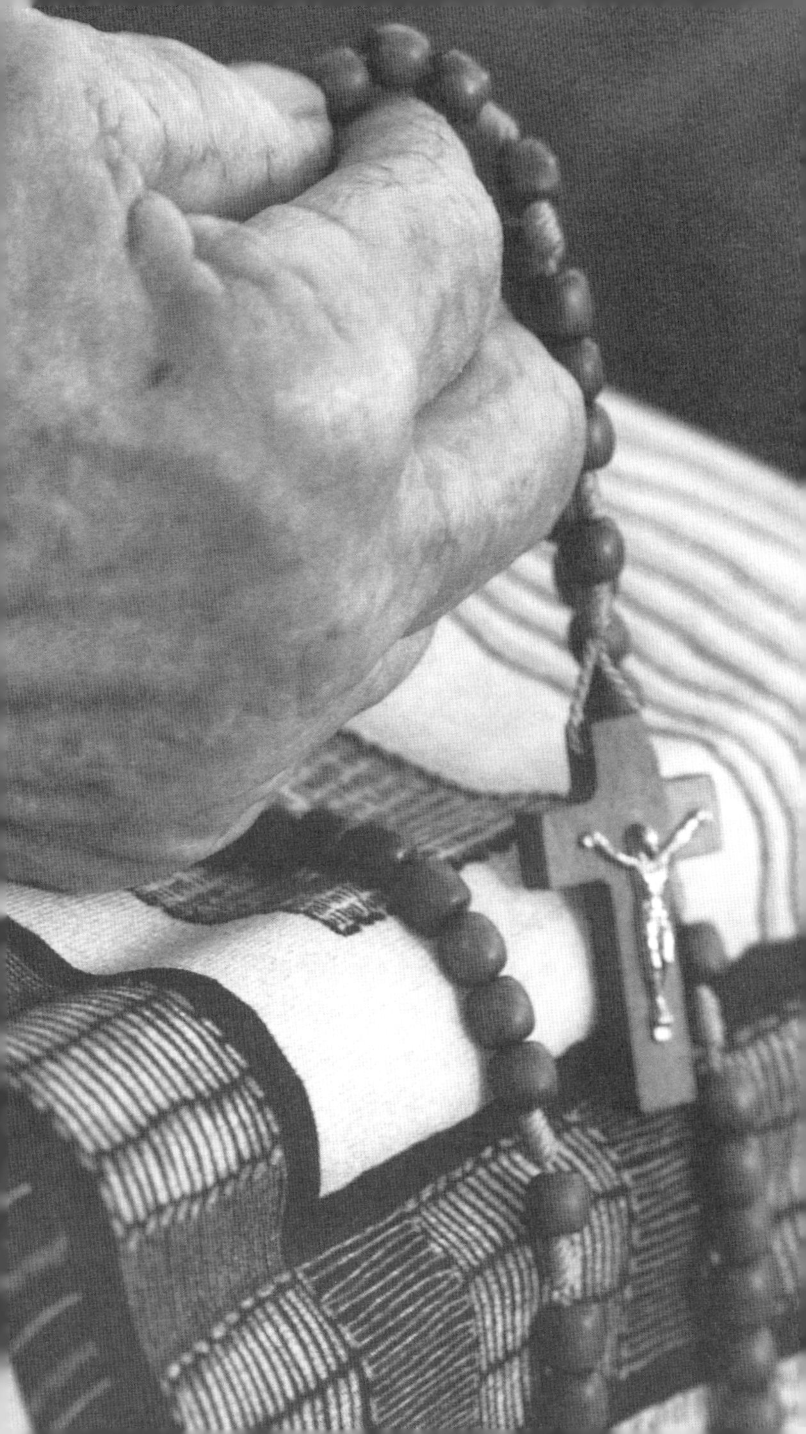

MÃE DO PERDÃO

Senhora de Aparecida,
Mãe do Perdão,
Rainha do Amor Divino,
em meio a tantos pecados,
que me roubam o direito de ser livre,
venho pedir tua poderosa intercessão
junto a Jesus.
Não mais quero caminhar nas trevas,
mas renovar minha alma em Cristo.
O pecado não me trouxe a felicidade prometida,
e hoje encontro-me sozinho e perdido
por tantos caminhos, que parecem não ter saída.
Quero lavar minhas vestes sujas e manchadas,
pelos erros de outrora,
no sangue misericordioso do Cristo Jesus.
Mãe Amada,
ajuda-me a recomeçar,
porque, sozinho, encontro-me sem forças.
Com teu amor
e segurando em tuas mãos,
conduz-me aos braços de teu amado Filho.
Em Cristo nova criatura serei
e a minha alma do pecado libertarei.
Amém!

MÃE DOS TRABALHADORES

São tantos os que buscam
a dignidade do trabalho.
A cada dia a multidão dos desempregados
aumenta mais.
Senhora Aparecida,
Mãe dos Trabalhadores,
olha com benevolência para teus filhos e filhas,
que buscam uma oportunidade
no mercado de trabalho.
Concede-lhes, por tua graça,
o pão necessário para cada dia,
ganho com o suor de seus próprios esforços.
Abençoa os trabalhadores,
que desempenham com amor
sua vocação, a serviço de todos.
Que a prática do bem e do amor,
no serviço diário,
seja caminho de santificação para todos.
Mãe Aparecida,
consagramos em teu amor todos aqueles
que vivem do esforço e trabalho digno.
Amém!

MÃE DA PRUDÊNCIA

Virgem Maria,
Senhora da Prudência,
concede-me, por tua intercessão,
o dom da prudência.
Que minhas palavras sejam mais suaves
que o silêncio das noites estreladas.
Que meus gestos confirmem
a misericórdia divina,
para com os pequenos e humildes.
Que meus conselhos
sejam tão sábios e prudentes,
que auxiliem
os desesperados
a encontrar o caminho da paz.
Senhora do Amor,
no jardim da vida,
inspira-me gestos, palavras e ações,
que ajudem cada pessoa
a germinar o que há de melhor
na vida e no coração.
Amém!

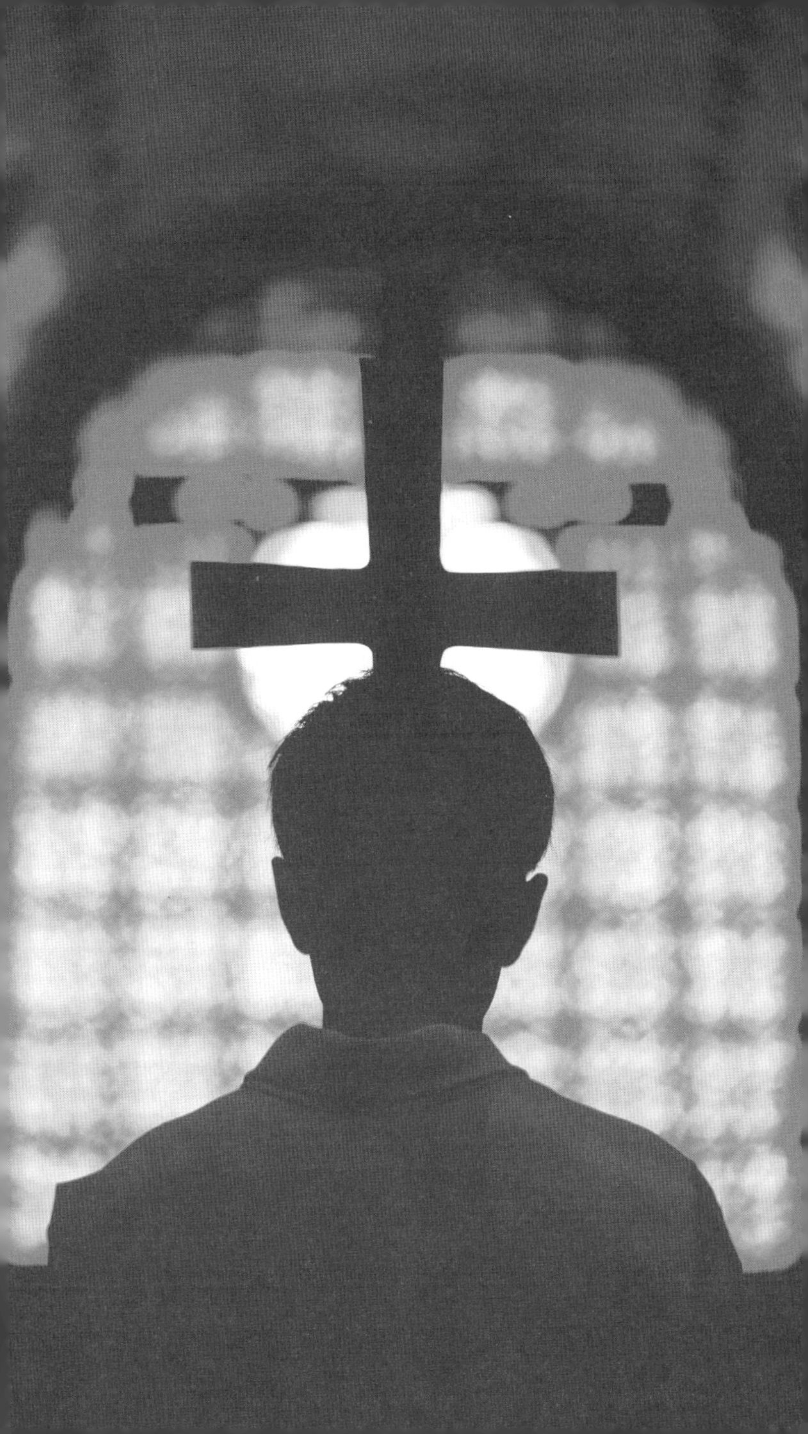

MÃE DOS IDOSOS

Concede-nos, Maria Santíssima,
o amor terno e puro,
para cuidarmos com amor
daqueles que nos deram a vida.
Não deixes que a humanidade
trate como seres descartáveis
nossos idosos,
que doaram seu tempo,
trabalho e amor
para que o mundo fosse melhor.
Derrama tuas mais abundantes bênçãos
sobre os idosos, que se encontram enfermos,
e sobre outros tantos,
que não têm assistência digna de saúde.
Apara os que agonizam na última hora
e acolhe-os com maternal bondade,
no Reino de teu filho Jesus Cristo.
Senhora Aparecida,
a ti confiamos nossos avós,
vivos e falecidos.
Que o bom exemplo que nos deixam e deixaram
seja para nós estímulo no caminho da misericórdia.
Amém!

MÃE DA SENSIBILIDADE

Mãe da Sensibilidade,
dá-nos olhos atentos, para ver
a necessidade dos que sofrem;
coração misericordioso,
para acolher os que sofrem;
ternura, para confortar
os desanimados e oprimidos.
Querida Mãe,
que nosso testemunho seja
fonte viva de amor
e possa transformar
as realidades de trevas
em manhãs de luz.
Senhora da Paz,
dá-nos a sensibilidade necessária
para não nos fazermos surdos,
aos que nos suplicam compaixão,
e mudos, aos que clamam
por justiça e dignidade.
Amém!

MÃE DAS VITÓRIAS

Senhora Aparecida,
Mãe das Vitórias,
ajuda-nos
a superar as dificuldades da vida,
com sabedoria e mansidão.
Que os desafios e pedras,
que encontrarmos pelo caminho,
fortaleçam-nos
rumo ao céu!
Consola os desanimados e feridos,
os magoados e deprimidos,
e ajuda-nos a superar
tudo aquilo que nos aprisiona,
para que possamos viver unidos
na caridade e unidade.
Mãe Santíssima,
em meio a tantas guerras,
que nos roubam a paz,
ajuda-nos a sair vitoriosos
dos campos de batalha
emocionais e espirituais.
Amém!

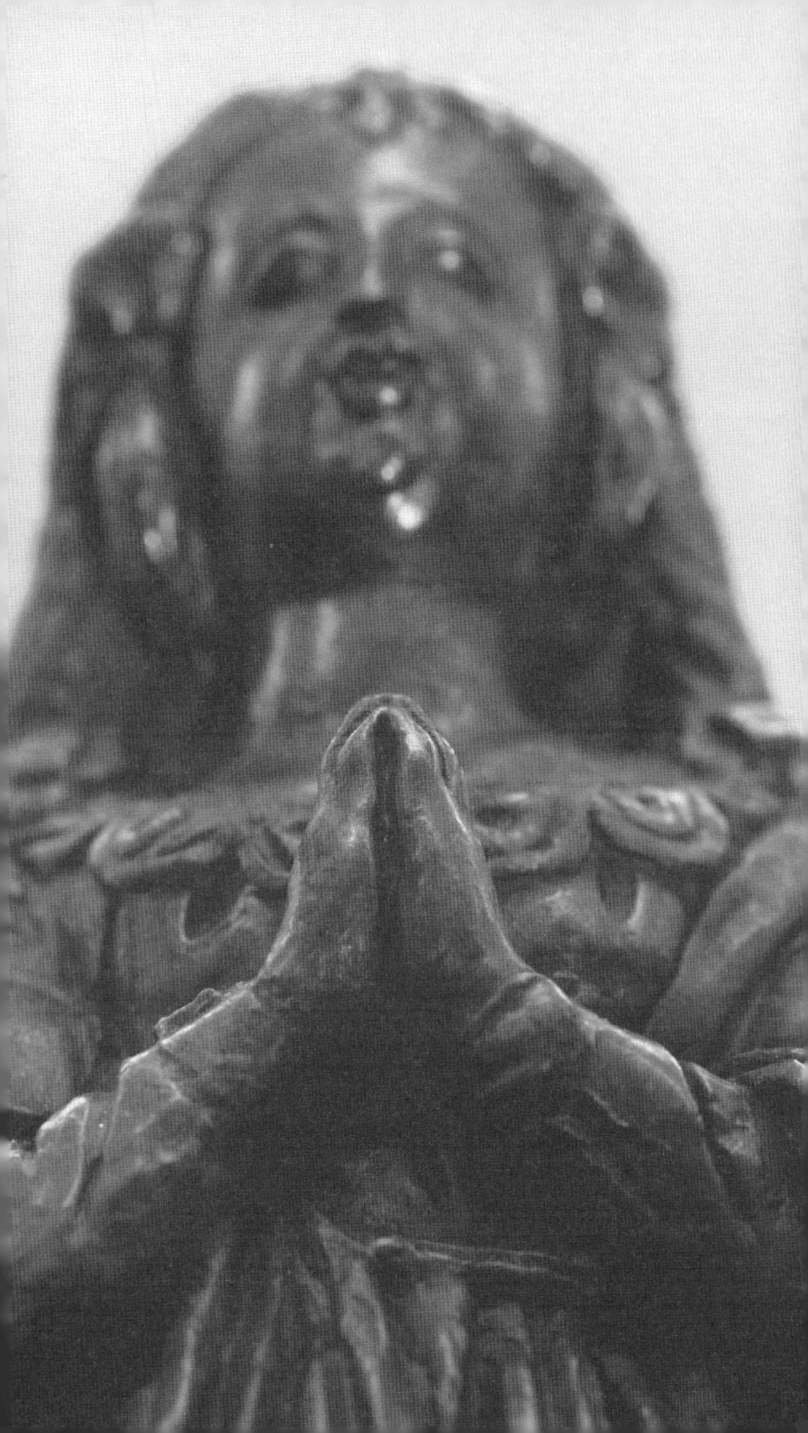

MÃE DA UNIDADE

Maria Santíssima,
em meio a tantos sinais de divisão,
concede-nos a graça, em Cristo,
de sermos pontes que estabeleçam
laços de fraternidade entre todos os povos,
raças e nações.
Que os muros, que nos separam de nossos familiares,
sejam derrubados pela força do amor partilhado,
da oração confiante
e da paz semeada,
em cada lar e em cada coração.
Ajuda-nos a superar todos os sinais
que quebram a unidade do amor
na Igreja e nas comunidades,
para que tenhamos consciência
de que todos estamos a serviço
do Reino de Deus.
Auxilia-nos na administração dos dons,
a nós confiados,
para que estejam a serviço da paz e da justiça.
Mãe Aparecida,
por tua poderosa intercessão,
ajuda que todos sejam uma única família
em Jesus Cristo Nosso Senhor.
Amém!

MÃE DA GRATIDÃO

Nossa Senhora da Conceição Aparecida,
obrigado por tão grande amor
a nós devotado.
Em tuas misericordiosas mãos confiamos
nossa vida,
família, amigos, trabalho,
afazeres diários e nossos pequenos gestos de amor.
Mãe da Gratidão,
que poderosamente cantou
o cântico de louvor,
mediante as maravilhas que Deus Todo-Poderoso
realizou em tua vida,
ensina-nos o dom de sermos agradecidos
por tantos benefícios
corporais e espirituais,
que temos recebido de Jesus Cristo.
Obrigado, Mãe da Misericórdia,
por ser sinal do amor de Deus,
no meio de nossa gente
e em terras brasileiras.
A ti entoamos o cântico das criaturas, agradecidas
por seres presente de Deus ao nosso coração.
Obrigado, Mãe Aparecida,
por tanto amor a nós dedicado!
Amém!

ÍNDICE

Introdução 5
Mãe dos desanimados 10
Mãe dos enfermos 11
Mãe dos deprimidos 12
Mãe dos humildes 14
Mãe dos pecadores 15
Mãe dos desempregados 16
Mãe dos pobres 18
Mãe dos desabrigados 19
Mãe dos refugiados 20
Mãe dos sacerdotes 22
Mãe dos arrependidos 23
Mãe dos enlutados 24
Mãe de todas as mães 26
Mãe de todos os pais 27
Mãe das famílias 28
Mãe da liberdade 30
Mãe dos ansiosos 31
Mãe dos estressados 32
Mãe do respeito 34
Mãe da bondade 35
Mãe do amor 36
Mãe da caridade 38
Mãe da misericórdia 39

Mãe da esperança 40
Mãe dos amigos 42
Mãe da consolação 43
Mãe dos decepcionados 44
Mãe do equilíbrio 46
Mãe dos esgotados espiritualmente 47
Mãe da felicidade 48
Mãe dos fracassados 50
Mãe da paz 51
Mãe da igreja 52
Mãe da luz 54
Mãe do discernimento 55
Mãe dos rejeitados 56
Mãe dos romeiros 58
Mãe da gentileza 59
Mãe dos magoados 60
Mãe dos obedientes 62
Mãe do otimismo 63
Mãe da paciência 64
Mãe do perdão 66
Mãe dos trabalhadores 67
Mãe da prudência 68
Mãe dos idosos 70
Mãe da sensibilidade 71
Mãe das vitórias 72
Mãe da unidade 74
Mãe da gratidão 75

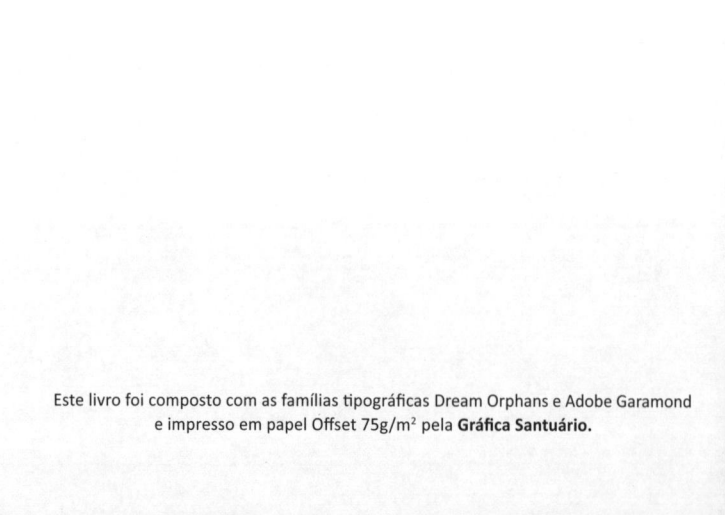

Este livro foi composto com as famílias tipográficas Dream Orphans e Adobe Garamond e impresso em papel Offset 75g/m² pela **Gráfica Santuário.**